GLECOMA HEDERACEA

ECHINACA PURPUREA

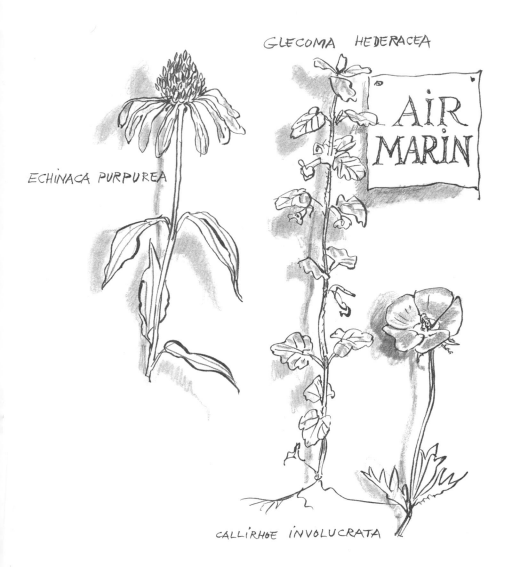

AiR MARIN

CALLIRHOE INVOLUCRATA

Élisabeth Motsch

Air marin

Illustrations de Philippe Dumas

l'école des loisirs

11, rue de Sèvres, Paris 6ᵉ

Pour Nicolas

Du même auteur à *l'école des loisirs*

Collection MOUCHE

Le fils du roi m'a déçue
Mister Ka et la cave aux mystères
Pas de coca pour Mister Ka
La princesse aux grands pieds
Qu'est-ce qu'on dit ?
Non merci !

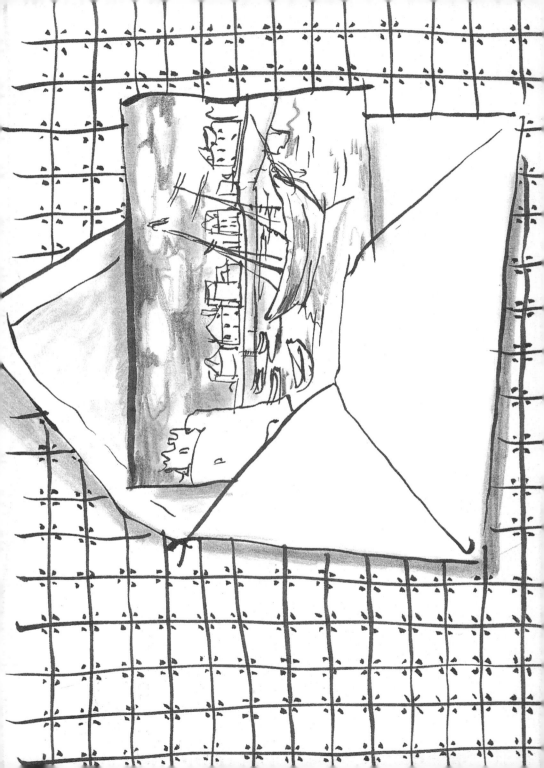

1

J'ai reconnu tout de suite l'écriture de
maman.

Dans l'enveloppe, il y avait une
carte postale, représentant un bateau
de pêche. Il était posé sur la vase et
penchait. C'était la marée basse.

De l'autre côté, maman avait écrit :
« Mon chéri, J'ai respiré le bon air
marin sur la plage et j'ai ramassé cette
petite algue pour toi. »

Alors j'ai vu qu'il y avait autre
chose, au fond de l'enveloppe. On

aurait dit une brindille, aplatie et tordue. L'algue avait durci. Je l'ai prise, délicatement, pour la regarder. Et je me suis aperçu qu'elle avait une odeur.

Sur le trajet de l'école, j'ai repensé à ma mère, qui était en Bretagne pour son travail, et aux vacances à Carantec, l'été dernier.

À la récréation de dix heures, j'ai retrouvé mes amis Aboubakri et Alexandra. On venait d'avoir un contrôle de grammaire et on n'était pas gais. Mais en fourrant les mains dans mes poches, j'ai senti la carte de ma mère. Je l'ai sortie, et l'ai montrée à mes amis. Ils l'ont trouvée très belle. Ça les faisait rêver, eux aussi.

– On voit que le pêcheur vient de repeindre son bateau, a remarqué Abou.

– C'est joli ces rayures rouges et jaunes, a ajouté Alex.

– J'aime bien la mer, ai-je dit, et le château fort, là-bas, sur l'île.

Quand j'ai remis la carte dans l'enveloppe, Alex a vu la petite forme noire.

— Qu'est-ce que c'est?

J'ai pris l'air mystérieux.

— Un scorpion! s'est écrié Abou.

— Une feuille? a suggéré Alex.

— C'est une algue.

— Ah bon, a dit Abou.

Mais Alex a ouvert de grands yeux.

— Une algue? Elle est bizarre!

On aurait cru qu'elle avait vu une chose extraordinaire, comme un animal venu d'une autre planète. Moi, ce que je trouvais bizarre, c'était l'odeur. Je n'ai pas osé en parler. Mais franchement, ce bout de plante venue de la mer, ça sentait… Je ne sais pas comment dire. Une odeur… vraiment bizarre.

Je l'ai respirée discrètement à nouveau. Et j'ai fait la moue.

Comment ma mère, qui s'y connaît en parfums, a-t-elle pu ne pas remarquer que l'algue sentait « ça » ?

2

Le soir, dans la rue, je me suis souvenu du vent, à Carantec. C'était à cause de cette algue que m'avait envoyée maman. Elle me donnait envie de respirer un grand coup, sur le port. Je commençais à me dire qu'elle avait une sorte de pouvoir magique.

J'ai croisé un car de touristes qui n'avait pas arrêté son moteur. On entendait: «Prout! Prout! Prout! Prout!» Et ça fumait à l'arrière.

Je n'aimais pas ce bruit, ni cette fumée. Mais ils m'ont rappelé l'odeur d'essence et le ronflement des bateaux de pêche, quand ils partent vers le large, ou quand ils reviennent.

Ensuite, je suis passé devant le garage et, là, ça sentait le caoutchouc. Il y avait des tas de pneus empilés. Ils avaient dû être livrés juste avant mon passage. L'odeur des pneus se mêlait à une autre, je ne sais pas laquelle. Mais, en tout cas, ça m'a rappelé l'algue.

À la boulangerie, où j'achète mon goûter et du pain tous les jours, j'ai vu des réglisses, et je me suis dit que c'était peut-être ça, plutôt. Mon algue sentait le réglisse.

Je n'étais sûr de rien. Sauf, finale-ment, que je voulais retrouver l'odeur de la mer. L'air marin, comme disait maman.

À la maison, j'ai essayé de faire mes devoirs.

En rentrant du collège, mon frère Arnaud m'a vu, penché sur mon bureau.

— Tu fais semblant de travailler?

Il s'est approché et a regardé par-dessus mon épaule.

— Un problème de maths ?

— Non, une bande dessinée ! ai-je grogné, en lui montrant un petit dessin, en haut de la page du livre de maths.

Il est allé mettre ses chaussons et, du bout du couloir, il a lancé :

— Tu veux que je te le fasse ?

— … Oui, si tu veux…

Et je me suis dit que j'avais quand même de la chance d'avoir un frère.

— Qu'est-ce que tu feras pour moi ?

J'avais oublié : ce n'est jamais gratuit, avec lui.

— Je mettrai le couvert à ta place…

Puis j'ai traîné sur mon lit, avec des illustrés. Mais je n'ai pas pu les lire. Je pensais encore à la petite algue, et à ma mère.

Elle est représentante en parfumerie. Elle aime bien les parfums et sait les reconnaître, mais elle n'aime pas nous laisser mon frère et moi, même si on est grands maintenant. En général, elle part deux ou trois jours. Mais parfois, elle s'absente une semaine entière. Et là, je trouve ça long. Des endroits où elle passe, elle envoie des cartes postales, à mon frère et à papa aussi. Je crois que c'est chacun notre tour... Pour dire qu'elle pense à nous.

Il y a des gens qu'on reconnaît rien qu'à leur odeur. Maman, par exemple, ses cheveux sentent bon. Elle dit que son parfum s'appelle «Sous-bois». C'est celui qu'elle vend dans les bou-

tiques de parfumerie. On le fabrique
avec du bois de santal et de la violette.

Ma maîtresse, elle, sent la craie et
la laine. Après la récréation, elle sent
le café. C'est celui de la salle des
maîtres. Ça doit leur plaire, aux
maîtres et aux maîtresses. Moi, ça me

donne plutôt mal au cœur. Les gens n'ont pas tous les mêmes goûts.

À la cantine, on a tous la même odeur. C'est à cause des plats réchauffés. Tous nos vêtements sentent la soupe de pommes de terre. De la soupe pas très bonne.

3

Le lendemain, à la cantine, il y avait de la purée de pommes de terre ! Le contraire de la soupe. J'en ai pris deux fois. Aboubakri et Alexandra aussi. Au dessert, on a eu de la glace à la vanille. C'était le bon jour.

De la déguster nous a mis tous les trois de bonne humeur.

— C'est mon parfum préféré ! a dit Abou. Pas vous ?

J'ai pensé au parfum de la mer.
Rien à voir avec une glace.

— Mon préféré, ce n'est pas celui-
là, a murmuré Alex.

On l'a regardée, curieux.

Mais elle a pris sa mine de fille
timide et s'est mordu les lèvres.

— Alors? a demandé Abou.

— C'est un secret.

— Un jour, tu nous le diras?

Elle m'a regardé et a hoché la tête.

— Moi, en tout cas, a répété Abou, c'est la vanille ! Il y en a dans le lakh.

J'ai demandé ce que c'était.

— Un dessert africain, m'a répondu Abou.

Et là-dessus, il s'est mis à nous chanter la recette ! Comme moi aussi j'adore le rap, j'ai chanté avec lui, en répétant les mots.

— La s'moule dans la cal'basse ! Dans la cal'basse ! Tu fais des p'tites boules ! Des p'tites boules ! Tu mets du sucre vanillé ! Et du yaourt fruité !

Puis en une seule phrase, sans respirer :

— La s'moule dans la cal'basse et tu fais des p'tites boules le sucre vanillé et le yaourt fruité c'est comme ça qu't'as du lakh comme ça qu't'as du lakh !

Après, dans la cour, on a joué à se dire des odeurs qu'on aimait et d'autres qu'on détestait. On poussait tantôt des cris horribles, tantôt des cris de joie. Les autres enfants nous prenaient pour des fous.

Alex adore l'odeur du poulet grillé.

Abou n'aime pas l'odeur du sac de linge sale.

Alex n'aime pas la naphtaline : c'est des boules puantes pour les mites !

Abou aime les bébés qui sentent le lait de toilette.

Mon grand frère aime l'after-shave de papa, c'est du vétiver.

Alex aime le thym et le basilic, dans sa cuisine.

Le munster, pour moi, est un fromage qui pue. Mais mon père adore ça! Quand il ouvre la boîte et déplie le papier jaune, son nez bouge! Il paraît que les Chinois sont dégoûtés par les fromages français. Je dois être un peu chinois.

Abou m'assure qu'avec un rhume, je ne sentirais plus rien.

Alex nous prévient que des bonnes odeurs peuvent devenir mauvaises. Elle, elle a été malade avec des cacahouètes, dans un car, maintenant elle déteste ça, rien que l'odeur…

Le soir, chez moi, c'était moins drôle. Je me disais que Carantec était loin. À table, j'ai demandé à mon père :

— Quand est-ce qu'on ira respirer le bon air ?

Il m'a regardé avec des yeux ronds.

— Quand est-ce qu'on ira au bord de la mer ? ai-je précisé.

— Peut-être en juillet.

— C'est pas sûr ?

— On peut essayer.

— Mais pourquoi on n'irait pas ?

— Il faut qu'on trouve une maison à louer, pas trop chère.

— On ne peut pas y aller avant ?

— Ah non, je ne pense pas.

— Mais maman, elle y va bien.

Là, mon père s'est énervé.

— Ça n'a rien à voir ! Maman y va pour son travail ! Tu ne comprends pas ça ?

Papa était contrarié. Mon frère m'a adressé un regard moqueur. Ils m'agaçaient tous les deux. Je me suis mis à bouder.

Au lit, pour me consoler, je me suis imaginé que j'étais sur la plage. Le sable me picotait les pieds. On avait apporté un pique-nique… Abou et Alex étaient venus avec nous. On courait tous les trois vers la mer et on se lançait des voiles d'eau qu'on sou-levait d'un bras…

Ensuite, j'ai repensé au parfum préféré d'Alexandra. Je ne comprenais pas pourquoi elle ne voulait pas en parler. Plus j'y songeais, plus j'avais envie de savoir ce que c'était.

4

Le jeudi, toute la classe va à la piscine.

Après la récré, on s'est mis en rangs et on est sortis. Le jeu, dans la rue, c'était de se donner des coups en douce, avec les sacs contenant nos affaires. La maîtresse en a puni deux, mais Abou et moi, on ne s'est pas fait prendre.

À la piscine, comme d'habitude, ceux qui ne savent pas nager voulaient rester dans les vestiaires. À cause du maître nageur, qui leur fait peur. Moi je sais nager et le maître nageur me laisse tranquille.

Mais je déteste l'eau de Javel !

Alors, chaque fois, je me pince le nez et deviens tout rouge. Au bout d'un moment, je suis quand même obligé de respirer. Abou trouve que j'exagère. Alex dit que ça sent la lessive, rien de plus. Il est vrai que je finis toujours par m'habituer.

L'événement s'est produit sur le chemin du retour.

On est passés devant la brasserie alsacienne et là, le choc ! Je ne m'y attendais vraiment pas. Un homme ouvrait des huîtres avec des gestes rapides, un coup de couteau et clac ! Je me suis arrêté pour mieux sentir…

Et j'ai retrouvé l'air marin ! L'odeur de Carantec ! Je l'ai retrouvée là, par hasard, en revenant de la piscine.

Alex était restée avec moi. On a rattrapé les autres, et on les a suivis, sans rien dire. Elle a vu que j'étais content.

Plus tard, elle m'a regardé d'un drôle d'air. Et elle a murmuré :

— Adrien, ce soir après l'école, je te dirai mon secret.

Avec impatience, j'ai attendu la sortie. Je me suis imaginé toutes sortes de choses, mais ce n'était rien de tout ça.

On a marché jusqu'à sa porte et on est entrés dans le hall de l'immeuble. Je crois qu'elle ne voulait partager son secret qu'avec moi. J'étais un peu ému.

Elle a posé son sac d'école par terre et a tiré la fermeture Éclair d'une pochette, sur le côté. J'avais l'impression qu'il n'y avait rien à l'intérieur, parce que c'était tout plat. Puis elle a sorti une carte, une toute petite carte, de cinq centimètres de haut, environ. Il y avait un dessin de fleur d'un côté. De l'autre, une adresse imprimée.

J'ai levé les yeux vers Alex.

— Sens! a-t-elle ordonné.

Je me suis baissé vers la carte et j'ai senti un parfum de fleur.

— Tu reconnais le mimosa?

J'ai deviné que c'était le parfum de la fleur qui était représentée sur la carte. Je ne peux pas dire que j'étais déçu, mais quand même, je ne voyais pas pourquoi Alex y accordait tant d'importance.

— Tu vois, m'expliqua-t-elle, c'est la fleuriste du marché couvert qui me l'a donnée. Elle a promis qu'elle m'en donnerait d'autres, quand je reviendrai avec ma grand-mère. Mais je ne suis pas sûre que ce sera possible... Cette carte-là a déjà un peu perdu de son parfum. Je ne sais pas si j'ai envie d'en avoir une autre. J'ai peur de ne pas autant l'aimer ou alors que le parfum soit trop fort. Je n'aime pas les parfums trop forts.

— Moi non plus, ai-je dit.

— Alors, comment tu le trouves?

— Pas mal!

On s'est souri. Elle a remis la fleur dans son cartable. Et on s'est dit au revoir.

5

Dehors, je me sentais tout bizarre. Je me disais que, d'un côté, je n'avais pas adoré le mimosa d'Alex ; d'un autre, j'étais fier qu'elle m'ait fait confiance. La petite carte parfumée, finalement, avait de l'importance pour nous deux.

Dans l'escalier de l'immeuble, j'ai croisé le gros chien du deuxième. C'est un bâtard, un peu saint-bernard. Il est gentil mais collant. Il pose toujours ses grosses pattes sur moi depuis le jour où j'ai eu la mauvaise idée de le caresser. Comme j'ai peur de vexer son maître, j'accepte ses démonstrations d'amour. Mais après, j'ai plein de poils sur moi et je sens le vieux chien à plein nez!

Encore une odeur qui ne me plaît pas trop. Mais ça ne me dégoûte pas non plus. Je me rends compte que j'ai exagéré en disant que les odeurs, on les déteste ou on les adore.

Ensuite, je me suis fait réchauffer un délicieux chocolat chaud pour mon goûter. Et je ne me suis plus posé de questions.

Les bonheurs se suivent souvent, et ce jour-là, j'en ai encore eu un.

Maman a fait son apparition au moment de se mettre à table!

D'habitude, elle rentre très tard, on est couchés mon frère et moi. Mais là, surprise ! Même papa ne s'y attendait pas.

– J'ai réussi à régler mes affaires en deux heures aujourd'hui, a-t-elle annoncé.

On est venus tous les trois se frotter contre elle. Arnaud prenait trop de place, je l'ai poussé un peu. Papa avait l'avantage de la hauteur.

— Laissez-moi respirer ! a-t-elle dit en riant. J'ai une surprise pour vous.

Cette manie des secrets et des surprises… Ça me met les nerfs en boule, mais j'ai fait un effort, pour maman.

On parlait tous en même temps, à table. On posait des questions à

maman. Elle nous a raconté qu'elle avait vendu trois valises de «Sous-bois». Il y aura de la violette et du santal dans les maisons bretonnes! Dans la crêperie où on était allés, elle a commandé la même galette de sarrasin au beurre. De là, elle voyait le port, inondé de pluie, et la digue,

déserte. Puis il y a eu une éclaircie.
Alors elle est partie vers la plage. C'est
là qu'elle a senti l'air marin et qu'elle
a trouvé l'algue. Pour moi.

Dans le four, elle a glissé quelque
chose. Je n'ai pas eu le temps de voir.
Mais vite, j'ai senti. Et j'ai reconnu une
autre odeur de Carantec! Ce n'était
pas du tout la mer, cette fois-ci.

Maman avait mis un far breton à réchauffer.

— Hum! s'est exclamé papa.

— Ça sent le beurre et le pruneau, a dit maman. Mais surtout la vanille !

J'ai pensé que mon copain Abou se serait régalé s'il avait goûté ça. Mais en attendant, c'était moi qui allais le goûter !

Et je n'étais pas enrhumé, ce soir-là.

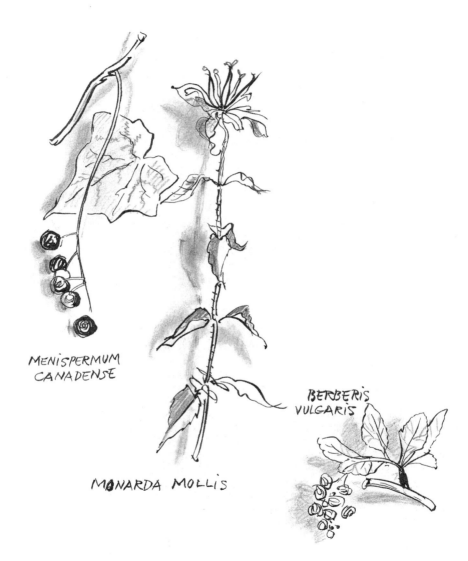

MENISPERMUM
CANADENSE

BERBERIS
VULGARIS

MONARDA MOLLIS